代国家の樹立を目指していた日本の社会の中で信教の自由という基本的人権への道を拓くため、「苦しむ神のしもべたち」となっていました。

あなたがたには、キリストを信じることだけではなく、キリストのために苦しむことも恵みとして与えられているのです。

（「フィリピの信徒への手紙」1章29節）

信仰のゆえに捕縛されて流されることになった浦上キリシタンたちが日本の社会に信教の自由をもたらす「一粒の麦」となった事実を、この冊子をとおして、より多くの皆さまに理解していただくことができれば幸いです。

2021年5月3日

カトリック広島司教区列聖委員会　委員長

アレキシオ 白浜 満 広島司教

目次

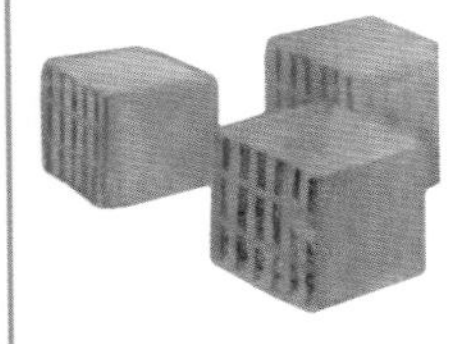

はじめに

1868（慶応4・明治元）年から1870（明治3）年にかけ、天領長崎の浦上村のキリシタン（キリスト教の信徒）3,400人余りが、明治新政府の宗教方針により富山以西の20藩22カ所（富山・金沢・大聖寺・名古屋・津・大和郡山・和歌山・姫路・岡山・福山・広島・鳥取・松江・津和野・山口・高松・徳島・高知・松山・鹿児島、※津では、大和古市・伊賀上野・伊勢二本木の3カ所分散）に流配されました。潜伏キリシタンの自葬事件に端を発した浦上キリシタンの弾圧事件は、欧米にも知られ、後に日本の外交や宗教政策などに影響を与えることになります。

広島司教区内には、岡山・福山・広島・鳥取・松江・津和野・萩の各地に浦上のキリシタンたちが流されました。中でも津和野藩は、新政府の宗教行政の中心にいた藩主亀井茲監（かめいこれみ）（1825～1881）により、当初の説諭からついには拷問による改宗強制へと方針が変更されました。そのために、わずか1歳から75歳の高齢者までのキリシタン（その多くは同一家族）が信仰のためにいのちを落とすことになります。

彼らの先祖は、江戸幕府の二百数十年にわたる迫害の中、宣教師や司祭を失いながらも、洗礼を授ける水方（みずかた）、教えと教会暦に通じた帳方（ちょうかた）、帳方の連絡係の聞き役・触れ役などの信徒組織をつくり、洗礼の秘跡、教会暦、オラシヨ（祈り）を伝えてきました。アニマ（霊魂）の救いがいちばん大切だと教えた家庭での信仰の継承の尊さが、その死をとおして証しされました。さらに、精神的かつ肉体的拷問にも無抵抗をもって耐え、人間の尊厳の偉大さを示したと言えましょう。

殉教とは

津和野の乙女峠。せせらぎに沿って曲がりくねった急な小道を上り詰めると、そこには小聖堂がたたずむ美しい広場があります。木々の緑に囲まれたその場所は、四季を通じてのどかなたたずまいを見せ、訪れる人を和ませます。今から百五十年ほど前、同じこの場所で、厳しい拷問によってキリシタンがいのちを落としたとはとても思えない、癒しの空間です。

ともすれば「殉教」という言葉には、どこか重苦しさがつきまとうかもしれません。しかし乙女峠はおよそそれとは無縁の、清い雰囲気をたたえています。ここは今、一年を通じて多くの巡礼者を迎え、キリスト信者にとって尊い場所になっています。

では、殉教とは何でしょう。殉教とは、陰惨で暗い出来事でしょうか。

漢字の「殉」（殉ずる）は、従うという意味であり、さらに自分の仕える主人の後を追って死ぬこと（殉死）や、ある目的のために身をささげ、いのちを差し出して尽くすこと（殉職、殉教）を意味するようになりました。そこから、教えのためにいのちをささげた人が「殉教者」と呼ばれるようになります。

さて、日本語で「殉教」と訳されるギリシア語のマルティリオンは、「証し」を意味する言葉で、もともと死とは無縁でした。証しには、いろいろな種類があります。言葉による証し、資料による証し、行いによる証しなどです。その中で、端的にこれぞ「証し」と言われる最高の証しは、いのちをかけた証しでしょう。そこで、単に証し（マルティリオン）と言えば、いのちをかけた証しを指すようになりました。

キリシタンの信仰は単なる理想や信念ではなく、知識や理屈でもありません。「神は、あなたを愛しています」

という、そのひと言に信頼をおくことに尽きます。いのちの源である神が、死も超えて、なお私をしっかりと抱きとめ、愛し続けてくださるということです。それが真実であることを知るには、神からの証しを受けるしかありません。

殉教は、非暴力でなければ証しになりません。たとえばある国の若者が、祖国のためと思って爆弾を抱え、他国で自爆したとします。祖国の人びとにとって、これは英雄の行為と受け取られるかもしれませんが、相手の国にとっては無差別殺人の自爆テロにすぎません。いくら愛のためといっても、暴力を用いることは証しとはほど遠いのです。キリシタンが、正しい信仰のためとはいえ暴力で反対者に立ち向かうなら、それは暴力の連鎖を引き起こす過激な行いになってしまいます。たとえ正当防衛が認められるとしても、決してだれも傷つけないこと、これが愛の証しです。

こうした境地を開いたのは、神の子イエス・キリストです。イエスは、人びとへの徹底した愛を実現するために、敵対する人びとの決定にさえも従って、苦しみを受け殺される運命を引き受けました。そして憎悪に燃える敵をもゆるしたのです。

「そのとき、イエスは言われた。『父よ、彼らをお赦しください。自分が何をしているのか知らないのです』」（「ルカによる福音書」23章34節）。

殉教地は、神の力に支えられた愛の証しが示された場所です。そのために、単なる殺戮の史跡のような陰惨な雰囲気がないのかもしれません。

信徒発見から旅立ちまで

1 衝撃

江戸幕府三代将軍徳川家光は、1637（寛永14）年に起こった島原の乱をきっかけに、日本を侵略する可能性があると思われる外国との交易をやめる政策を打ち出し、そしてついに、オランダと中国に限って交易を行うという鎖国の方針を強めていったのです。鎖国のおもな目的の一つは、キリスト教を日本に入れないようにすることです。

それから約二百年後の1853（嘉永6）年、アメリカの東インド艦隊司令長官マシュー・ペリー提督（Matthew Perry, 1794 ~ 1858）が、蒸気船の艦隊を率いて、江戸湾の浦賀に姿を現しました。そして軍事力をちらつかせて、アメリカのために日本の港を開くよう要求したのです。翌1854（嘉永7）年、幕府は、再来航したペリーと日米和親条約を結び、下田と箱館（現函館）を開港しました。江戸幕府は、アメリカだけでなく、ヨーロッパの国々の圧力にも耐えられず1858（安政5）年、アメリカ・オランダ・ロシア・イギリス・フランスと修好通商条約（安政五カ国条約）を結びました。こうして鎖国の政策は終わりを告げました。

こうした状況のもとで、その力が日に日に弱まる幕府にとって、追い打ちをかけるような驚くべき事実が明らかになります。約二百五十年にわたって公に厳しく取り締まってきたはずのキリスト教の信仰が、天領長崎の浦上村で組織的に受け継がれていたことが明らかになったのです。

2 闇から輝く光へ －キリシタンの発見－

長崎に赴任したパリ外国宣教会のカトリック司祭ベルナール・プティジャン神父（Bernard Petitjean, 1829 ~ 1884）は、1865（元治2）年、大浦居留地に、高い尖塔をもつ教会堂を建立しました。これが、現在、国宝に指定されている大浦天主堂です。もともと大浦居留地に住むフランス人のた

めの教会として建てられたもので、フランス寺と呼ばれたそうです。

フランス寺ができて1カ月ほどたった3月17日（西暦では1865年4月12日）、杉本ゆりたち浦上村のキリシタン15人がひそかにフランス寺を訪れました。面々は、聖堂で祈るプティジャン神父に近づき、「ワタシノムネ、アナタノムネトオナジ」、「サンタ・マリア、ゴゾウハドコ」とささやいたそうです。「私たちはあなたと同じ信仰をもっています」という意味です。厳しい禁教令のもと、司祭がいない状況で二百五十年以上もキリスト教の信仰が受け継がれてきたことが、このとき初めて明らかになりました。

戸惑いながらも喜びに包まれたプティジャン神父は、すぐさま信者たちをマリア像があるところへ案内しました。キリシタンたちは、「本当にサンタ・マリアさまだ。御子ジェズ（御子イエスさま）を抱いておられる」と喜びました。そして、プティジャン神父は、サンタ・マリアの御名を知っているこの人びとは昔のキリシタンの子孫だと確信しました。

その「信徒発見のマリア像」は、今も大浦天主堂にあって、訪れる人びとを見守っています。

これを機に、キリスト教の信仰を代々ひそかに守ってきたキリシタンが、浦上村一帯にいることが明るみに出ることになりました。大浦居留地にほど近い浦上村は、その昔、キリシタン大名として知られる有馬晴信（ありまはるのぶ）がイエズス会に寄進した土地です。ここには、江戸時代を通じてキリスト教の信仰が根強く残っていたのです。

この知らせは、世界中のキリスト信者の間を駆け巡りました。そして国内の五島や外海（そとめ）にいた潜伏キリシタンにも伝わりました。

カトリック司祭を迎えた浦上のキリシタンは、もはや信仰を隠してはおきません。1867（慶応3）年、信徒たちは、亡くなった一人の村人の葬儀について相談を重ねました。その結果、これからは死者が出たとき庄屋には届けても、葬儀は仏教とは関係なく行うことにしたのです。そしてこれを記した口上書を庄屋に提出しました。驚いた庄屋は長崎奉行所に

信徒発見から旅立ちまで

届け出ました。役人たちは相談の末、キリシタン68人を捕らえ、激しい拷問を加えて信仰を棄てるよう強要しました。「浦上四番崩れ」の発端です。

江戸幕府の役人の取り調べに対し、信徒たちは信仰を公に言い表しました。それ以前の「三番崩れ」（1858年）の段階まで潜伏キリシタンたちは、崩れが起きるたびにその信仰を隠匿していましたが、「四番崩れ」ではその性格を大きく変化させ、それまでの信仰隠匿から信仰表明へと展開したのです。

やがて開国に始まるいくつもの激震によって力を失った江戸幕府は倒され、天皇を中心とする明治政府が生まれました。明治政府をつくった勢力が江戸幕府を倒そうとした大きな理由の一つは、日本をもとの鎖国の状態に戻すことでした。もはや、そんなことができるはずはありません。それどころか明治政府は、外国の文明をますます取り入れる方向に大きく舵をきりました。しかし、ヨーロッパやアメリカの文明と深い関係にあるとわかっていても、キリスト教を日本に入れたくはありませんでした。

江戸幕府によるキリシタン禁令の政策は明治政府に引き継がれて、再びキリシタンへの厳しい弾圧が始まります。浦上一帯に住む3,400人ほどのキリシタンが捕らえられ、西日本の大名のうち、十万石以上（津和野は例外）の20藩22カ所に流されて、神道への改宗を迫られました。こうして信仰に生きる人びとは、深い闇の虜になりました。しかし、それは近代日本の社会を照らす光になったのです。

「『闇から光が輝き出よ』と命じられた神は、わたしたちの心の内に輝いて、イエス・キリストの御顔に輝く神の栄光を悟る光を与えてくださいました」（「コリントの信徒への手紙二」4章6節）

3 葛藤

キリスト教を認めない方針を江戸幕府から引き継いだ明治政府の迫害の目的や方法は、当初、江戸幕府のそれとだいぶ異なっていました。

江戸幕府による迫害の目的は、キリシタンに信仰を棄てさせることでしたが、明治政府の迫害は、キリシタンに日本の神々を信じるよう仕向けること、つまり神道への改宗を迫ることでした。江戸幕府のもとでキリスト教を取り締まったのは、役人である武士たちでしたが、明治政府で主導権を握ったのは、神道学や国学を学んだ官僚たちでした。それには理由があります。

明治政府は、最高神である天照大御神(あまてらすおおみかみ)の直系の子孫とされる天皇を中心に据えて、国の統合をはかろうとしました。つまり神道と政治を一体化しようと考えたのです。祭政一致による王政復古です。1868年6月11日（慶応4年閏4月21日）には、明治政府の中枢を担う太政官の一官に神祇官(じんぎかん)がたてられ、行政機関の筆頭に置かれました。ところが、1871年12月（明治4年10月）に当時その要職を占めていた平田神道派が国事犯の疑いで追放されてしまいます。代わって、新しい時代に積極的に合わせていこうと考える津和野派の国学者が主導権を取ることになりました。審議事務局判事津和野藩主亀井茲監や、その部下で同藩出身の福羽美静(ふくばびせい)（1831 ～ 1907）の名をあげることができます。

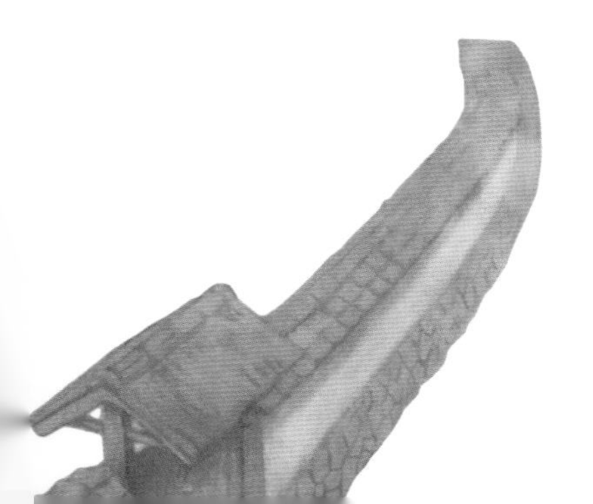

浦上から津和野へ

浦上のキリシタンの中から津和野に連行されたのは合計153人です。十万石にもはるかに及ばない津和野が、なぜ、ほかより多くの信徒を受け入れたのか、しかも浦上のキリシタンの中で指導的な立場の者が津和野に送られたのか、その理由は明治政府の宗教政策を担う津和野藩出身の亀井茲監が、キリシタンへの穏やかな説諭を主張したからだと言われています。神道の教えに精通した人が根気よく教え諭せば、キリシタンを神道に改宗させるのは、わけもないことだと主張したのです。たとえキリスト教が日本に有害な教えであったとしても、非人道的な方法で改宗を強いることは、国学者の誇りがゆるさなかったのでしょう。理屈で信じている信仰なら、それを超える理屈をもち出すことで、別の信仰に入るよう説得できるかもしれません。優れた学問を修め、秀才であった国学者たちから見れば、学問とは無縁なキリシタンの信念を変えることなど、何でもないと思われたのでしょう。

1　第一次流配（1868年）

1868年7月9日（慶応4年5月20日）、浦上キリシタンの流配が最終的に確定、翌10日から着手されました。その結果、西役所へ出頭した高木仙右衛門をはじめ、キリシタンの中心人物114人（全員男子）が、山口（萩）・津和野・福山の3藩に送られることになりました。

11日に金沢藩の蒸気船で長崎を出帆しました。下関で萩行きの66人と、尾道で福山行きの20人と別れ、残った28人は天寧寺に14 ～ 15日止め置かれました。その後、津和野の役人に引き渡されて再び乗船し、津和野藩の船屋敷のあったに廿日市（はつかいち）（現広島県）に上陸した後、津和野街道を歩いて、中国山脈の生山（なまやま）峠を横断しました。途中2泊して、3日目に津和野に着き、城下から離れた光琳寺に収容されました。

2 第二次流配（1870年）

1869（明治2）年3月ごろから、尊王攘夷運動が活発化したことにともなって、キリシタン問題には新しい動きが見られることになりました。すなわち、平田派の国学者や尊王攘夷派の諸藩士や浪士の動向、さらには排キリスト教活動を展開する仏教勢力の動きと絡んで、政府は何らかの決断を下さなければならなくなったのです。その結果、5月、公議所でキリシタン問題の検討が始まり、10月にはキリシタンを受け入れる予定の諸藩に対し、キリシタン取り扱いに関する注意点が通達されることになりました。

しかし、諸藩の多くはキリシタンを受け入れた場合の財政負担などの増大を理由に、すぐには実行に移しませんでした。そこで、政府は強引にも第二次流配者たちの移送と受け取りを諸藩に押しつけたのです。こうして第二次の移送は、1870年1月上旬に開始されました。流配に処せられたキリシタンの正確な総数を断定することは困難ですが、第1次と第2次を合わせて3,400人前後であったということです。

津和野藩は、山口藩（萩）や福山藩と同様、2度目の受け入れでしたが、125人のキリシタンを受け入れることになりました。津和野へ新たに送られてきたキリシタンは、そのほとんどが前に流された28人の家族でした。これは、外交団からの抗議を受けて、明治政府が家族を離散させないという配慮を示したためでした。

彼らは、西役所で津和野行きを申し渡され、平戸屋敷に1泊した後、陸路時津（ときつ）

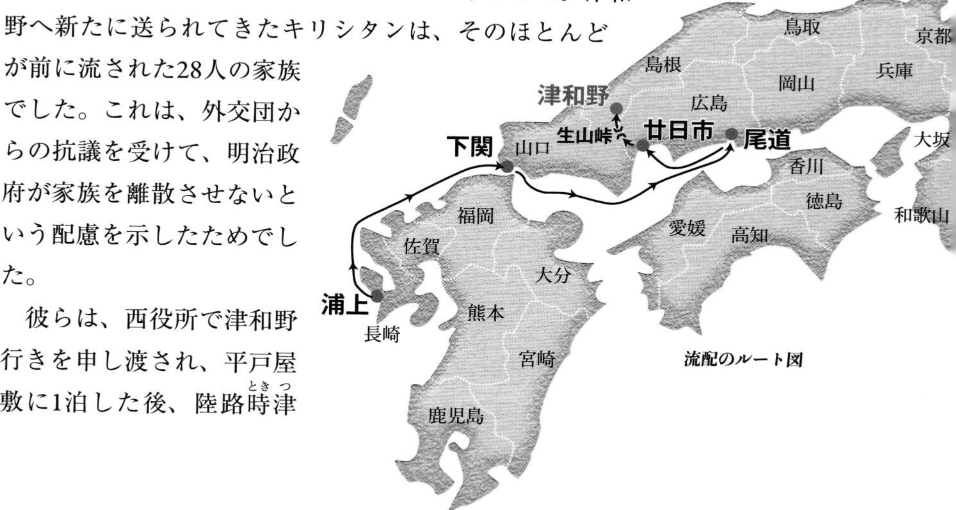

流配のルート図

浦上から津和野へ

に出て、御厨(みくりや)に20日ほど滞在しました。そこから汽船に乗って第一次流配者と同じように尾道に寄り、廿日市を経由し、さらに陸路津和野を目指して光琳寺に入り、浦上で別れてから2年余りを経て、第一次流配者のうちの12人に合流しました。

津和野での出来事

キリシタンの生活と、それに対する藩の関わり方は、『十二県御預異宗徒巡視概略　津和野県』（国立公文書館所蔵）や後年、津和野に流されたキリシタンが語った思い出話（いわゆる「旅の話」）によって詳細にわかります。

毎朝、日本が尊い神国であるいわれを説いて改心を勧める教諭係の神官の唱える祝詞（のりと）を聞かされ、神を拝するよう強いられました。その後、改心を勧める教諭がなされ、それが済むと、労作業に従事させられ、男性は縄・筵（むしろ）・わらじなどを作る藁（わら）仕事に、女性は洗濯や裁縫などの仕事にあたらせられました。

住居は改心者と不改心者に分けられ、改心者は森村にあったもと尼寺の法心庵に、不改心者は廃寺であった浄土宗の光琳寺に収容されました。

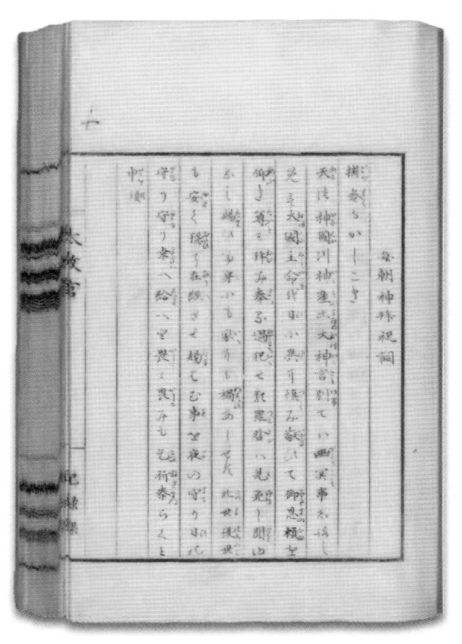
毎朝神拝祝詞

「掛巻もかしこき天津神国つ神産土大神言別てハ……」で始まる祝詞（国立公文書館所蔵）

1　拷問

当初は、キリシタンが明治政府からの預かり人であったため、間違いがあってはとの配慮から、比較的丁寧な扱いを受けていましたが、明治政府の期待と予想に反して、津和野で試みた穏やかな説諭は、いつまでたっても一向に成果を上げませんでした。信仰は、理屈を超えたところに成り立つものだからです。そこで明治政府は、ついに方針を大きく変えました。力尽くでも改宗を迫ることにしたのです。

減食策（粥のような麦飯を、1日に3合あるかないか程度支給）が実施されました。そのため、たちまち8人の改心者が出てしまいました。改心者は、毎日白米5合が支給され、労働も自由にできるようになりました。不改心者に対

津和野での出来事

しては、食べ物を与えない、水責め、雪責め、氷責め、三尺牢（90㎝四方のせまい檻）への閉じ込め、親の前でその子どもを痛めつけるなどの拷問がなされました。その激しさ、悲惨さ、残虐さは江戸時代以上だったといわれます。そして死者に対しては、改心者の場合は本葬、不改心者は仮埋葬されました。しかしこのようなやり方は、日本が近代国家の手本にしたいヨーロッパ各国から、予想もしない激しい反発を招くことになりました。

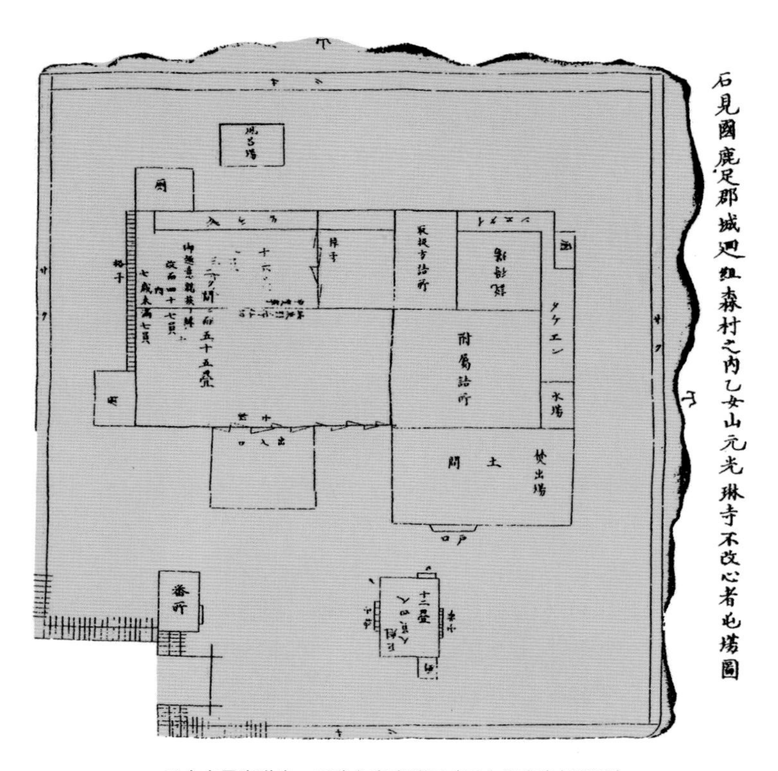

乙女山元光琳寺　不改心者屯坊図（国立公文書館所蔵）

＊光琳寺は二方を山で囲まれ、さらに敷地の周囲には柵がめぐらされていました。出入り口に続く2部屋（55畳）に47人が押し込められ、高木仙右衛門ら指導者と目された4人は番所に近い別棟にて収容されていました。

2 教皇の激励の書簡

このような生活を続けていたキリシタンにとって、非常に喜ばしいことがありました。それは、司教となったプティジャンと教皇ピウス九世からの慰めと激励の書簡が届いたことです。

プティジャン司教は、キリシタンの流配が断行されていたころ、第一バチカン公会議（1869年～1870年）に出席するために、日本を離れていました。1870（明治3）年末に日本に戻った司教は、翌年の日本二十六聖人の祝日を祝い、「御主にたいしてとられしことごとくの人々え」と各地に流されていたキリシタンに書簡を送りました。その中で、キリストが十字架の祭壇でご自分をささげられたのにならって苦難に耐えるように、二十六聖人に取り次ぎを頼んでいることを伝えて、慰めと励ましの言葉を伝えたのです。

そしてこの年、横浜で教皇ピウス九世の在位25周年の式典を挙行し、在日宣教師とキリシタンの名において祝辞をローマに送ったところ、それ

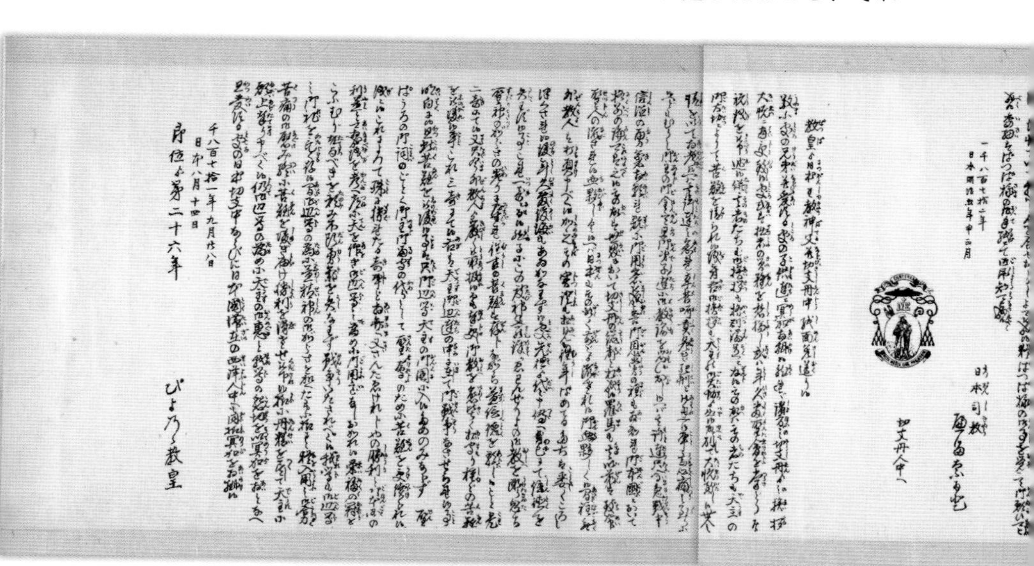
一千八百七拾二年
日本明治五年中二月
日本司教
加丈丹人中へ
千八百七拾一年九月廿八日
日本八月十四日
即位ノ第二十六年
ぴよ乃く教皇

プティジャン司教が訳した教皇ピウス九世の返書（上智大学キリシタン文庫所蔵）

に対する教皇の返書が日本の教会に送られてきました。プティジャン司教は、それを日本語に訳して、「切支丹人中へ」と、流配中のキリシタンに配布し、教皇の気持ちを伝えたのでした。キリシタンの先祖が司祭を欠きながらも、長い世代にわたって信仰を失わなかったことに驚嘆の意を表し、宣教師による司牧がなかったにもかかわらず、苦難と迫害に勇敢に立ち向かったことを称賛し、天国での永遠のしあわせに希望をおき、最後には教会が現在の試練を経て勝利を得るのだ、ということを確信するように諭されました。

3 外圧と世論

明治新政府は1871年12月（明治4年11月）、政府の首脳や留学生を含む総勢107人からなる使節団を欧米諸国に派遣しました。特命全権大使に右大臣・外務卿岩倉具視（いわくらともみ）、副使に大蔵卿大久保利通（おおくぼとしみち）、工部大輔伊藤博文（いとうひろぶみ）、外務少輔山口尚芳（やまぐちますか）が任命されました。そのおもな目的の一つは、江戸幕府が1858年から1869年に欧米の列強15カ国と結んだ条約を改正するための予備交渉です。それらの条約が、1872年7月1日（明治5年5月26日）をもって改正の時期を迎えることから、政府は、この機に関税自主権の回復と条約相手国に認めた治外法権の撤廃を目指す方針でした。諸条約の改正は、近代化を急務とする明治政府の悲願だったのです。それだけに岩倉使節団一行に対する政府の期待は、並々ならぬものがありました。しかし使節団は、訪問国の意外な反応に当惑することになります。

日本では、各国の駐日公使などの外交団が、日本政府によるキリシタンへの過酷な弾圧に抗議を繰り返し、その実態を逐一、本国に報告していました。そうした中で来訪した岩倉使節団に対し、アメリカ大統領ユリシーズ・S・グラント、イギリス女王ヴィクトリア、デンマーク王クリスチャン九世らから、キリスト信者に対する明治政府の政策が激しく非難されたのです。岩倉使節団の到着を知らせる各国の新聞各紙は、日本政府による弾圧が人権を踏みにじる暴挙であると、こぞって書き立てました。こうして日本に対する欧米の世論は厳しさを増していきます。国際法に準拠した法制度が整備されないかぎり、不平等条約の改正は望めないという認識を、明治政府はすでに共有していました。そこで岩倉使節団は、滞在先のベルリンから政府に打電し、浦上のキリシタンを一刻も早く解放しなければ、諸条約の改正は望めないと訴えました。

当時の駐米少弁務使（現在の駐米代理公使）森有礼（もりありのり）（1847～1889）は、*Religious Freedom in Japan : a memorial and draft of charter*（『日本宗教自由論』）を著してキリスト教禁止政策を続ける難しさを訴えました。浄土真宗本願寺派の僧侶で西本願寺執行長の島地黙雷（しまじもくらい）（1838～1911）は、「三条教則批判建白書」の中で、政教分離、信教の自由を主張し、森有礼に賛同する意見を述べました。

しかし二百五十年以上も続き、国内にすっかり定着した価値観と制度を大転換させることは、容易ではなかったはずです。キリスト教禁止の高札撤去には国内の根強い反対がありました。政府内の保守派の中では、「神道が国の宗教である以上、異国の宗教を取り締まるのは当然」、「キリスト教の信仰を自由化しても欧米諸国が条約の改正にすんなりと応じる保証はない」などの意見が大勢を占めていました。また長年、キリスト教を邪宗門と見る考えは、国内に定着していました。さらに仏教の指導者の中には、キリスト教に対する政府や世論の敵対心を利用して、政府と仏教との関係を好転させる動きが起こりました。そのころ明治政府は、神道国家を国是とする立場から、仏教をも激しく弾圧していたからです。そのため仏教の高僧の中には、神道の神主に転向する者さえいました。

4 キリスト教禁止の高札撤去

根強い反対論はあったものの、国際社会への仲間入りを最優先とした政府はついに、1873（明治6）年2月24日、太政官布告第68号により、262年続いたキリスト教禁止の高札を撤去しました。しかしこの措置は、単純に外圧によると結論づけることはできません。

日本古来の宗教でないとの理由だけで、キリスト教や仏教を排斥することは、諸外国との折衝において、著しく説得力を欠きます。また政策上の見地からも、説諭であれ強権であれ、各地に流されたキリシタンを神道に改宗させることは困難であることがはっきりしていました。加えて、キリシタンたちは、信仰の問題を除けば政府に従順かつ協力的であり、日常の生活態度も模範的であることなどが、流配先の諸藩から報告されていました。そこで政府は、キリシタンが国家の当面の脅威ではないと判断するに至ったのでした。

こうした事情から禁止の高札撤去が実現しました。ただしこの政策は、欧米が求めた信教の自由を意図した措置とはいえません。全面的に信教の自由と政教分離が保証されたのは、1947（昭和22）年施行の『日本国憲法』第20条まで待たねばなりませんでした。

ともあれ、キリスト教禁止の高札の撤去により、各地に捕らわれていたキリシタンは、故郷に帰る悲願を果たしました。

5 帰郷とその後

浦上のキリシタンたちが帰郷した後、津和野では、暗い記憶を消し去ろうと、収容施設などほとんどの関係箇所は処分されました。しかし当時の記憶を復元しようと立ち上がった人がいます。パリ外国宣教会のフランス人司祭エメ・ヴィリヨン（Aimé Villion 1843 ~ 1932）師です。同師は、明治元年の来日から昭和初期まで、日本の宣教に献身しましたが、1890（明治23）年には長崎で開催された旧信徒発見25年記念祭で、津和野からの生還者らと出会う機会を得ました。これが、現在に至る津和野・乙女峠の証し人に対する崇敬の発端となったのです。

翌年の夏、ヨハンナ岩永（津和野・乙女峠の証し人岩永源八の娘）と津和野を訪れたヴィリヨン師は、光琳寺跡を発見したほか、流配中に亡くなった信徒たちの遺骨を収集しただけでなく、津和野での出来事の意義を知らせる講演会を開催し、光琳寺で牢死した信者が埋葬された蕪坂の千人塚に墓碑を建立しました。

時代はくだり、1922（大正11）年、ヴィリヨン師は光琳寺跡に、「信仰の光」碑を建立しました。乙女峠で信仰の光を灯した先人たちをいつまでも思い起こして記念するためです。現在でもこの碑は、訪れる人の心を信仰の光で照らしています。

津和野における宣教司牧の担当が、パリ外国宣教会からイエズス会に移ってからも、津和野での出来事の記念事業は発展していきます。第二次世界大戦前、広島司教区は、津和野の証し人のゆかりの土地を買い上げました。また、カトリック津和野教会に赴任したドイツ出身のイエズス会司祭パウロ・ネーベル（Paulo Nebel日本名：岡崎裕次郎1896～1976）師は、黙々と乙女峠の整備にあたり、1951年、同地にマリア記念聖堂を建立し、翌年には乙女峠まつりを開催しました。このまつりは、毎年5月3日に開催され、今日では1,200人ほどの信者を集めています。

そして2013年の乙女峠まつりにおいて、当時の広島司教で現大阪大司教の前田万葉枢機卿は、乙女峠の証し人の列聖運動の開始を宣言しました。そして教皇庁列聖省は、2019年2月5日、広島司教区による正式な列聖調査の開始を承認しました。

津和野・乙女峠の証し人

津和野・乙女峠の証し人列聖調査委員会は、以下の歴史的記録文書などをもとに、後述する一覧表の37人の列福・列聖の申請準備を進めています。

①『異宗門徒人員帳』（国立公文書館所蔵）

1870（明治3）年に在日外交団から全国に流されたキリシタンの待遇改善が要請された結果、翌年、政府は外務省の楠本正隆（くすもとまさたか）と中野健明（なかのけんめい）を各地に派遣し、キリシタンの調査を命じました。その調査に先立って、キリシタンを預かった諸藩から提出されたのが『異宗門徒人員帳』です。

この『異宗門徒人員帳』（1871年6月〔明治4年5月〕記述）から津和野藩で死亡が確認されるのは、記載順に次の34人です。（　）は、死亡年月日、すべて旧暦で示されています。

正太郎（庚午〔明治３年〕９月17日）
熊　吉（庚午〔明治３年〕３月17日）
わ　ゐ（辛未〔明治４年〕４月30日）
こ　ま（庚午〔明治３年〕11月11日）
さ　の（庚午〔明治３年〕11月21日）
松五郎（辛未〔明治４年〕２月18日）
と　め（庚午〔明治３年〕８月11日）
国太郎（庚午〔明治３年〕閏10月18日）
甚　吉（庚午〔明治３年〕７月15日）
祐次郎（庚午〔明治３年〕11月26日）
和三郎（戊辰〔明治元年〕10月９日）
わ　ひ（庚午〔明治３年〕７月６日）
清次郎（庚午〔明治３年〕正月23日）
そ　の（庚午〔明治３年〕７月10日）
駒　吉（庚午〔明治３年〕７月21日）
安太郎（己巳〔明治２年〕１月22日）
忠四郎（庚午〔明治３年〕４月朔日）
し　も（庚午〔明治３年〕９月６日）
八十助（庚午〔明治３年〕７月22日）
さ　い（庚午〔明治３年〕８月７日）
き　り（辛未〔明治４年〕正月４日）
な　か（庚午〔明治３年〕７月13日）
兵　助（庚午〔明治３年〕７月29日）
清四郎（己巳〔明治２年〕２月18日）
惣　市（辛未〔明治４年〕正月５日）
さ　め（庚午〔明治３年〕４月24日）
三　八（庚午〔明治３年〕９月27日）
三右衛門（庚午〔明治３年〕６月15日）
源　八（庚午〔明治３年〕10月８日）
甚三郎（庚午〔明治３年〕４月25日）
吉三郎（庚午〔明治３年〕５月20日）
又　市（庚午〔明治３年〕10月16日）
す　き（庚午〔明治３年〕閏10月10日）
孫四郎（庚午〔明治３年〕３月12日）

＊津和野藩が提出した文書の冒頭の部分と、中野郷出身の守山国太郎一家のことが記されている部分。これによると、守山一家は11人のうち８人が津和野に流されました。尾道で津和野藩の役人に渡されたのが1870（明治3）年、そしてその年のうちに国太郎自身、三男の甚吉、四男の祐次郎が亡くなっています。

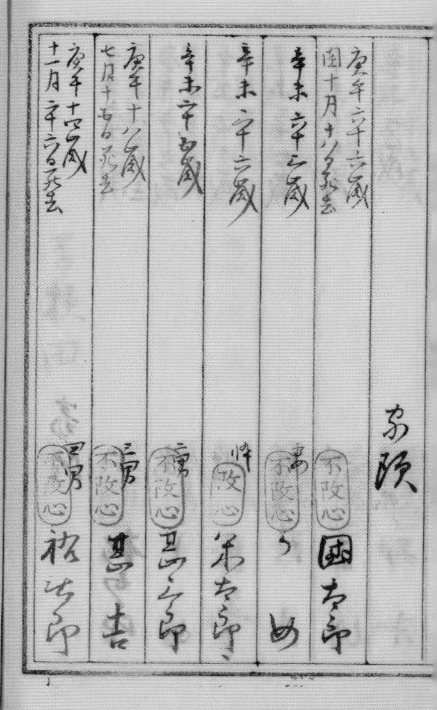

② 守山甚三郎の『覚書』（日本二十六聖人記念館所蔵）

甚三郎は、守山国太郎の長男で、第一次流配の一人でした。彼は、牢内で亡くなった人を死亡年月日順に洗礼名を添えて記録していました。①が1871年6月（明治4年5月）現在の記録ですから、その後の死亡者を知るうえで貴重な史料となっています。この『覚書』（1871年〜1872年頃の記述）によって、カタリナ岩永もり（1871年9月4日〔明治4年7月20日〕死去）とカタリナ松尾かめ（1872年10月13日〔明治5年9月11日〕死去）の2人の証しを知ることができます。

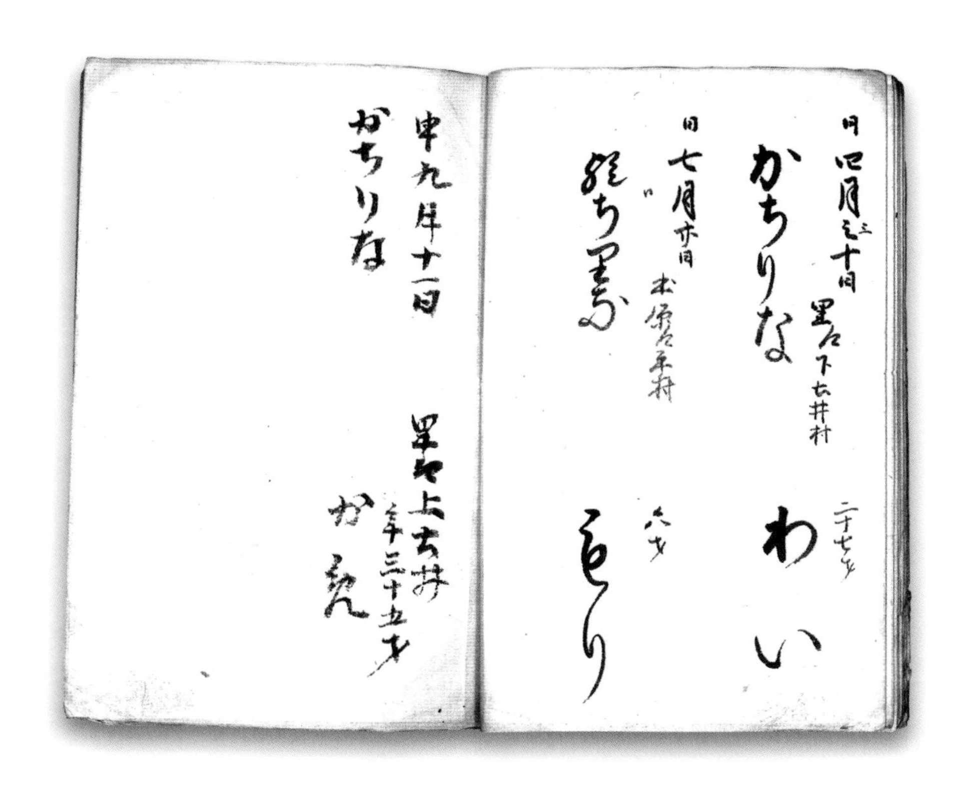

③ 蕪坂(かぶさか)の「証し人の名碑」

ヴィリヨン神父が、それまで蕪坂に葬られていた証し人の遺骨を、1891(明治24)年に一つの墓に納めて碑を建立したとき、「ペトロ新三郎」の名を加えました。それ以来、この新三郎も、今日まで証し人として尊ばれてきました。

なお、浦川和三郎の『旅の話』にも、証し人の名前が列挙されていて、そのうちの一人に馬場出身のペトロ新三郎(1870年7月21日〔明治3年6月23日〕死去、享年2歳)の名があり、この幼児と同一人物であると思われます。

ヴィリヨン神父が1891年に建立した墓碑には36人の名前が刻まれていましたが、前述した「カタリナ松尾かめ」の名前はありませんでした。そのために、2014年、蕪坂に建立された新たな記念碑には「カタリナ松尾かめ」が加えられて、37人の名前が刻まれています。

津和野・乙女峠の証し人一覧表

氏名	出身・続柄／死去日	年齢
深堀和三郎（アントニオマリア）	大橋出身／辰十長男 ［明治元年10月9日（1868.11.22）死去］	26歳
森安太郎（ジョアンバプチスタ）	阿蘇出身／世帯主 ［明治2年1月22日（1869.3.4）死去］	30歳
岩永清四郎（ジョアンヨゼフ）	山中出身／世帯主 ［明治2年2月18日（1869.3.30）死去］	53歳
藤田清次（治）郎（ミカエル）	川上出身／わひ養子清蔵長男 ［明治3年1月23日（1870.2.23）死去］	3歳
松岡孫四郎（イナシオ）	一本木出身／世帯主 ［明治3年3月12日（1870.4.12）死去］	71歳
山口熊吉（ミゲル）	坂本出身／世帯主 ［明治3年3月17日（1870.4.17）死去］	55歳
深堀忠四郎（パウロ）	小路出身／世帯主 ［明治3年4月1日（1870.5.1）死去］	62歳
片岡さめ（マリナ）	辻出身／清四郎母 ［明治3年4月24日（1870.5.24）死去］	75歳
岩永甚三郎（ドミンゴス）	平出身／源八長男 ［明治3年4月25日（1870.5.25）死去］	27歳
岩永吉三郎（ドミンゴス）	平出身／源八次男 ［明治3年5月20日（1870.6.18）死去］	26歳
片岡三右衛門（パウロ）	辻出身／清四郎三男 ［明治3年6月15日（1870.7.13）死去］	7歳
藤田わひ（サビナ）	川上出身／亀治郎長男羽右衛門妻 ［明治3年7月6日（1870.8.2）死去］	51歳
中島その（カタリナ）	馬場出身／亀吉母 ［明治3年7月10日（1870.8.6）死去］	57歳
深堀なか（カタリナ）	大橋（馬場）出身／さい連子 ［明治3年7月13(15)日（1870.8.9）死去］	12歳
守山甚吉（ジョアンバプチスタ）	中野出身／国太郎三男 ［明治3年7月15日（1870.8.11）死去］	18歳
中島駒吉（ペトロ）	馬場出身／亀吉弟 ［明治3年7月21日（1870.8.17）死去］	18歳
深堀八十助	小路出身／忠蔵長男 ［明治3年7月22日（1870.8.18）死去］	1歳
片岡兵（与）助（ドミニコ）	山中（辻）出身 ［明治3年7月29日（1870.8.25）死去］	39歳
深堀さい（カタリナ）	大橋（尾崎）出身／市三郎妹 ［明治3年8月7(5)日（1870.9.2）死去］	52歳

深堀とめ（カタリナ）	横田（中野）出身／松五郎妻 ［明治3年8月10日（1870.9.5）死去］	59歳
深堀志も（リナ）	小路（馬場）出身／忠四郎長男忠蔵妻 ［明治3年9月6日（1870.9.30）死去］	23歳
平井正太郎（ロレンソ）	— ［明治3年9月17日死去（1870.10.11）］	8歳
片岡三八（パウロ）	辻出身／清四郎長男 ［明治3年9月27日（1870.10.21）死去］	14歳
岩永源八（ジョアン）	平出身／世帯主 ［明治3年10月8日（1870.11.1）死去］	56歳
岩永又市（ドミニコ）	平出身／世帯主 ［明治3年10月16日（1870.11.9）死去］	47歳
岩永すき（カタリナ）	平出身／又市妻 ［明治3年閏10月10日（1870.12.2）死去］	45歳
守山国太郎（ジョアンバプチスタ）	中野出身／世帯主 ［明治3年閏10月18日（1870.12.10）死去］	66歳
松尾こま（マダレナ）	上土井出身／岩吉妻 ［明治3年11月11日（1871.1.1）死去］	49歳
松尾さの（サビナ）	— ［明治3年11月21日死去（1871.1.11）］	3歳
守山祐次郎（ドミニコ）	中野出身／国太郎四男 ［明治3年11月26日（1871.1.16）死去］	14歳
深堀きり（る）（キリスナ）	大橋（馬場）出身／市三郎妹 ［明治4年1月4日（1871.2.22）死去］	44歳
片岡惣市（ドミンゴス）	辻（金朱）出身／世帯主 ［明治4年1月5日（1871.2.23）死去］	46歳
深堀松五郎（ジョアンバプチスタ）	横田（町）出身／世帯主 ［明治4年2月18(17)日（1871.4.7）死去］	61歳
相川わゐ（カタリナ）	下土井出身／友八妹 ［明治4年4月30日（1871.6.17）死去］	27歳
岩永もり（カタリナ）	平出身／又市娘 ［明治4年7月20日（1871.9.4）死去］	6歳
松尾かめ（カタリナ）	上土井出身／岩吉娘 ［明治5年9月11日（1872.10.13）死去］	35歳
新三郎（ペトロ）	馬場出身 ［明治3年6月23日（1870.7.21）死去］	2歳

津和野・乙女峠の証し人の横顔

深堀 和三郎　ふかほり　わさぶろう

和三郎は、津和野の最初の証し人です。すでに長崎で拷問を受けていた和三郎のからだはすっかり衰弱しており、津和野での寒さと飢えが重なって自分でも回復の見込みなしと覚悟をし、キリシタンとしてのよき死を迎える準備にとりかかっていました。高木仙右衛門が牢の床板を剥がして掘った抜け穴から出て、三尺牢に入れられた和三郎を見舞いに行き、「イエスさまのご苦難を思い出しなさい」と慰めながら、励ましました。このとき、自分たちはいつまでもこうしているのではない、必ず証し人としての栄光を得るのだと信じ、ここで倒れて皆といっしょにいのちをデウスにささげ得ないのを遺憾に思った和三郎が苦しい息の下から仙右衛門に向かい、「私の屍体はこのままにしておいて、皆が江戸の鈴ヶ森で刑に遭うとき、私の骨もともに持っていってください」とくれぐれも頼んだそうです。

岩永 清四郎　いわなが　せいしろう

山口藩（萩）で寒ざらしという、寒中にさらされる激しい拷問に遭いながらも、信仰を棄てることのなかったツルの父親が、清四郎です。彼は、1867年7月（慶応3年6月）に捕らえられ、長崎の桜町の牢で過酷な拷問を受けたまま津和野に送られたのですから、すでに心身ともに衰弱していました。そのうえ赤痢にかかり、苦しげにうなっていました。仙右衛門が、「天主にささげて気強く耐え忍ぶように」と勧めると、清四郎は「あまりに苦しくて無意識のうちに声が出てしまいますが、心は決して忘れてはおりません。いのちは天主さまにささげております」と答え、それからは自らに打ち勝ってうめき声ひとつたてなくなりました。亡くなる前夜、仲間の10人とともに祈っていた清四郎は、「私はやがて天国へ行きます。行ったら天主さまに祈って、11人は11人とも一人残らず天主さまのおそばに引き取っていただくから、それを頼りに辛抱しなさい」と言ったそうです。

岩永 もり　いわなが　もり

「もりちゃん」は、津和野での幼い証し人の一人です。飢えに苦しむ子どもたちにおいしいお菓子を見せた役人が、「食べてもいいがそのかわりにキリストは嫌いだと言いなさい」と言うと、もりちゃんは、「お菓子をもらえばパライゾ（天国）へは行けない。パライゾへ行けば、お菓子でも何でもあります」と答えて、永遠のしあわせを選びました。

森 安太郎　もり　やすたろう

和三郎の死後、裸のまま雪の中の三尺牢に入れられ、棄教を迫られたのが安太郎でした。安太郎は、聖母マリアへの信心が篤く、人びとの嫌うことを引き受け、自分の食べ物も人に与えるという人物でしたから、役人たちは、彼が棄教すればほかの者も棄教すると思い、厳しい責めを与えたのです。彼の信仰は堅固でしたが、やがて衰弱して見る影もなくやせ細ってしまいました。仙右衛門と甚三郎が抜け穴をくぐって慰めに行き、「一人で最期を迎えるのはさぞさびしいことでしょう」と言うと、安太郎は、「夜四つ（午後10時）から夜明けまで、青い着物を着て、青い布をかぶり、さんたまりやさまの御影の顔だちに似ておりますその人が、お話をしてくださるので、少しもさびしくありません。けれども、このことは私の生きている間は、だれにも話してくださらないように」と答えました。

甚三郎が安太郎に、「おかあさんに言っておきたいことはありますか」とたずねると、「私は、三尺牢の中を十字架の上だと思い、喜んで死にますと伝えてください」と言い、5日の後、永い安息に入りました。

の横顔

守山 祐次郎　もりやま　ゆうじろう

国太郎の子で、マツと甚三郎の弟にあたる14歳の祐次郎は、杉丸太に十文字にしばりつけられたり、裸で竹縁に座らせられたり、寒風にさらされたり、凍りつくような冷水を浴びせられたり、いろいろ責めたてられました。鞭打たれるたびに少年の泣き叫ぶ声が牢まで聞こえ、浦上の人たちはわが身を責められるような思いでした。衰弱して危険な状態になり、牢に戻された祐次郎は、看病する姉のマツに「悲鳴を上げてしまってごめんなさい。折檻を受けて8日目、もう耐えきれないと思ったとき、向こうの屋根の上を見ると、一羽の雀がご飯粒を含んできて、子雀の口に入れてやっているのを見ました。私はすぐイエスさま、マリアさまのことを思い出し、子雀でも神さまから親雀によって大事に守られていると思うと、私がここで責められるのを神さまがご覧になって、より以上にかわいく思ってくださらないはずはない。こう思うと勇気百倍、元気が出て、なんの苦しみもなく耐え忍ぶことができました」と話しました。雀親子の愛を見て神の愛を悟った祐次郎は、1871年1月16日（明治3年11月26日）、その美しく勇ましい魂を神のみ手にゆだねました。

岩永 又市　いわなが　またいち

信徒発見から10日ばかりたってプティジャン神父は、ジラール教区長に次のように報告しました。「信徒たちの間に、今でも洗礼を授ける役目の人がいます」。プティジャン師を訪問して信仰を言い表したひとりが、プティジャン師に、そう話したのでした。信仰共同体には指導的立場にあって洗礼を授ける係がおり、水方（みずかた）と呼ばれていました。又市は、「浦上四番崩れ」に先立って1856（安政3）年に起こった「浦上三番崩れ」でただ一人生き残った水方だったのです。つまり、浦上のキリシタン教会では指導的地位に立つ信仰上の勇士でした。彼は、「なわこもや」の名で知られた平（ひら）の豪農の出でもありました。第一次流配で津和野に流され、凍りつくような池に投げ込まれて水の拷問を受けました。残った家族も、萩に流された長男を除き、妻、息子2人、娘3人と長男の娘たちが津和野に流され、又市に合流しました。彼の妻のすきは、彼が死去して1カ月もたたないうちに亡くなり、また、娘のもりも6歳で翌1871（明治4）年に亡くなりました。三男の三次郎（信平）は後に司祭となりました。

岩永 源八　いわなが　げんぱち

源八も又市と同じ平の出身で、第一次、第二次のどちらで流されたか、わかりません。家族全員がそろっての津和野行きではなかったのですが、1870年11月1日（明治3年10月8日）に亡くなりました。源八については、『異宗門徒人員帳』に記されている死亡年月日だけしか、記録が残っておりませんが、ヴィリヨン神父著『CINQUANTE ANS D' APOSTOLAT AU JAPON（日本における50年間の宣教）』（1923年）に、いっしょに流された娘で（おそらく『異宗門徒人員帳』に見える「辛未十一歳　娘　不改心　せき」でしょう）、ヨハンナ岩永のことが記述された箇所に父親である源八の死のことが出てきますので、それを引用しておきます。

「初日からヨハンナは、〔津和野の〕町から出て近くの丘の峡谷に私たちを連れてきました。険しい細い道を通ると丘の中腹で平坦になり、そこの畑の中央に墓石、細長く頭の丸い石碑がいくつか立っていました。これは、仏僧の墓所でした。1869年にキリスト信仰を告白した者達の牢獄として光琳寺の建物のうちで残されたものはこれだけでした。……ヨハンナが突然畑の隅を示しながら〝あっ〟と叫んで、『ここです。ここです。ここが寺の倉のあったところです。せいぜい6畳ほどの広さで、そこに私達35人が押し込められていました。父が亡くなったのもここでした』と言ったのです。」

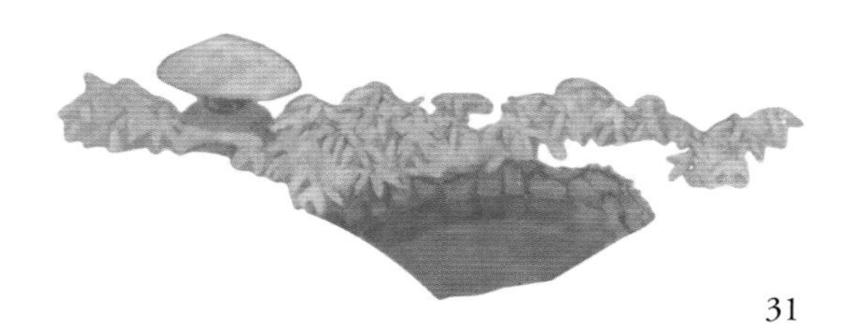

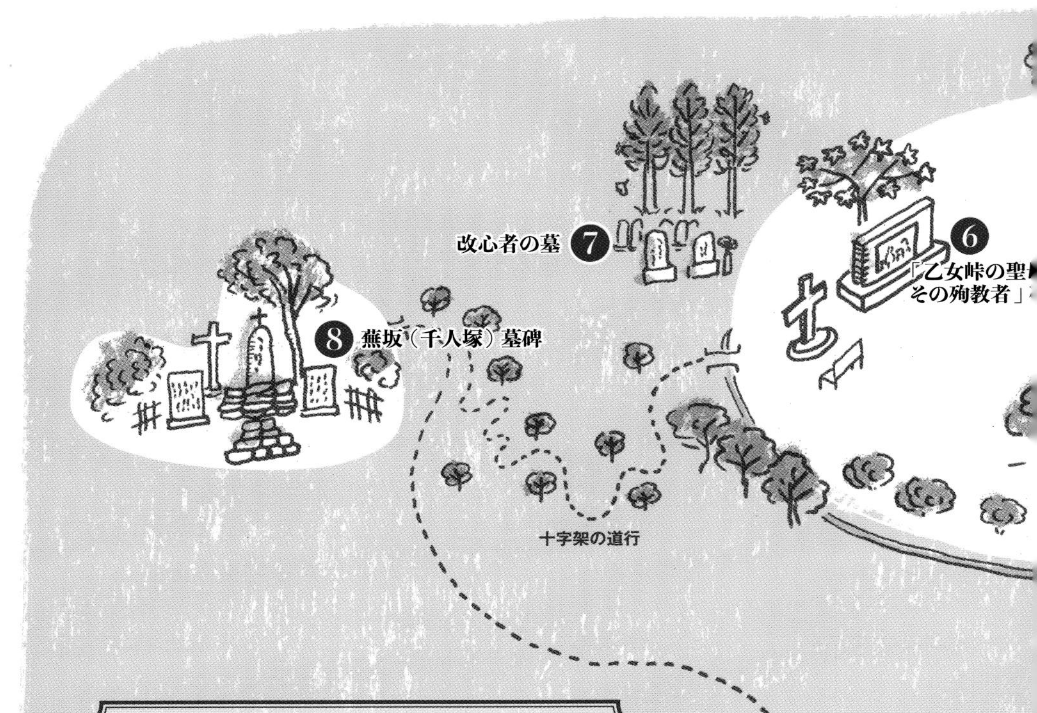

津和野・乙女峠の証し人
ゆかりの地を訪ねる
— ガイドマップ —

キリシタン関連の史跡が残る乙女峠周辺とカトリック津和野教会を紹介します。

イラスト＝ 田口京

【お問い合わせ】
津和野観光協会
〒699-5605島根県鹿足郡津和野町後田イ71-2
Tel. 0856-72-1771
公式サイト tsuwano-kanko.net/

カトリック津和野教会
〒699-5605　島根県鹿足郡津和野町後田ロ66-7
Tel. 0856-72-0251
公式サイト www.sun-net.jp/~otome/

津和野町は「山陰の小京都」と言われています。鯉が泳ぐ掘割のある「殿町通り」、日本の百名城の一つである「津和野城跡」、明治の文豪森鴎外や啓蒙思想家西周の旧宅、画家安野光雅の多くの作品を常時展覧する「安野光雅美術館」など、名所旧跡や観光スポットがたくさんあります。

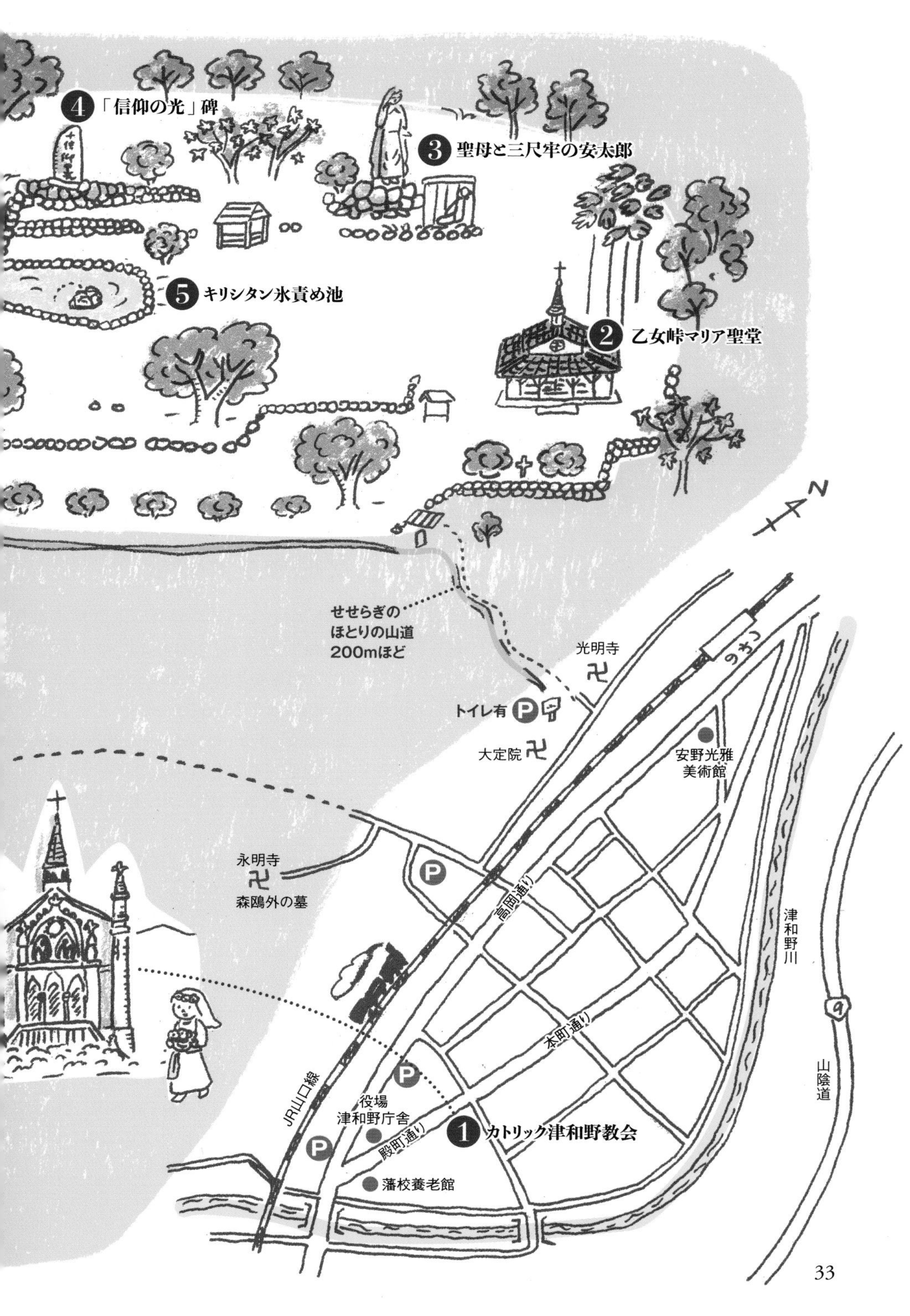

4「信仰の光」碑
3 聖母と三尺牢の安太郎
5 キリシタン氷責め池
2 乙女峠マリア聖堂
N
せせらぎの
ほとりの山道
200mほど
光明寺
トイレ有
大定院
安野光雅
美術館
つわの
永明寺
森鴎外の墓
高岡通り
津和野川
本町通り
山陰道
9
JR山口線
役場
津和野庁舎
殿町通り
1 カトリック津和野教会
藩校養老館

① カトリック津和野教会

重要伝統的建造物群保存地区にある津和野教会は1931年、ドイツ人シェファー神父により建立されたゴシック風の、畳敷きでステンドグラスが美しい教会です。司祭館も登録有形文化財に指定されています。

隣接して乙女峠の展示室があり、乙女峠での厳しい迫害の様子が紹介されています。また、1682（天和2）年の禁教の高札や1868（慶応4）年の「切支丹邪宗門」の高札、永井隆博士の絶筆『乙女峠』の原稿なども展示されています。

② 乙女峠マリア聖堂

乙女山と呼ばれていたこの地は、永井隆の著作『乙女峠』により、乙女峠と呼ばれるようになりました。この乙女山には明治初年まで光琳寺があり、この寺に浦上のキリシタンは収容されることになったのです。

1939（昭和14）年セルメニヨ神父は光琳寺跡の土地を購入し、1951（昭和26）年にはネーベル神父によって乙女峠マリア聖堂が建てられ、祈りの場として整えられました。

聖堂内部の壁画には、イエスと聖母マリアの足元で迫害の苦しみを耐えているキリシタンの4つの場面が描かれています。

キリシタンの指導者であった仙右衛門と甚三郎は、氷の張った池に沈められながらも手を合わせて祈り、その下の場面には寺の中でロザリオを唱える婦人と子どもたちが見えます。右側には旧暦11月の冷え切ったころ、2週間も裸で座らされて鞭打たれる祐次郎が、寺の屋根にとまっている親子の雀を見つめています。その上には三つの三尺牢とその中で聖母マリアの御姿に似た婦人と出会った安太郎が描かれています。

③ 聖母と三尺牢の安太郎

安太郎に青い衣の美しい婦人が現れたことによって、乙女峠は、もっとも聖なる乙女である聖母マリアを思い出す名前となる特別な場所となりました。

④「信仰の光」碑

「信仰の光」碑は、1922（大正11）年ヴィリヨン神父によって、乙女山に建てられました。

⑤ キリシタン氷責め池

証し人たちが収容された光琳寺境内には本堂の裏にかなり大きな池がありました。役人たちは、この池をキリシタンに棄教を迫るための拷問具として使用しました。旧暦11月の雪の降るころに、仙右衛門は役人から「裸になって池に入れ」と申し渡されたそうです。国太郎と甚三郎の親子もこの氷の張った池に投げ込まれ、棄教を迫られました。

⑥「乙女峠の聖母とその殉教者」碑

この碑は、第一次流配100年を記念して1968（昭和43）年に建てられ、中央に「乙女峠の聖母と殉教者」というブロンズレリーフがはめ込まれています。❶が仙右衛門、❷が甚三郎、❸が国太郎、❹が安太郎、❺が祐次郎、❻がマツ、❼がキリシタン発見の当人の一人の森内テルです。

⑦ 改心者の墓

乙女峠の広場の上段は、かつて光琳寺住職の墓地でした。そこには現在、改心者の墓二基が置かれています。葬られている2人は、『異宗門徒人員帳』が作成された1871年6月（明治4年5月）以降、高札撤廃にともなって流されていた人びとが帰郷する1873（明治6）年までの間に亡くなった寅太郎（明治4年7月21日没）ときん（明治5年2月5日没）です。

⑧ 蕪坂（千人塚）墓碑

1891（明治24）年、ヴィリヨン神父は、乙女山の隣の谷、蕪坂に葬られた36人の証し人たちの遺骨を1カ所に集めて墓を建てました。墓碑には、「為義而被害者乃真福」（義のために迫害される人は幸いである。天の国はその人のものだからである。マタイによる福音書5章10節）と刻まれています。また、乙女峠から蕪坂まで続く山道は、十字架の道行となっています。

改心者の墓について

仲間たちに食べ物を運ぶ改心者
（マリア聖堂内ステンドグラス）

不改心者のお墓はないのに、改心者のお墓があるのはなぜ、と不思議に思われるかもしれません。津和野藩（津和野県）は、預かったキリシタンが死去した場合、改心者は本葬、不改心者は仮埋葬の上、墓標（木製の墓碑）を建てることにし、葬地は改心者・不改心者とも乙女山蕪坂の遍証寺内にする旨、政府に書類を提出していたのです。そのため、改心者の墓石のみが残っているのではないでしょうか。

津和野・乙女峠の証し人　**関連年表**

1865（元治2）年	浦上キリシタン、プティジャン神父に信仰告白。
1867（慶応3）年	自葬事件。浦上キリシタン68人捕縛される。
1868（明治元）年	太政官達により高木仙右衛門ら西役所へ招喚。28人が津和野へ流される。
1870（明治3）年	全浦上キリシタン捕縛され、全国20藩22カ所に流配。
1873（明治6）年	キリスト教禁制の高札撤去。太政官達により浦上キリシタン帰郷。
1889（明治22）年	大日本帝国憲法が公布され、条件付きで信教の自由が認められる。
1891（明治24）年	ヴィリヨン神父、ヨハンナ岩永と津和野を訪ね、証し人の遺骨を集め、墓碑を建立。
1922（大正11）年	乙女峠に「信仰の光」碑建立。
1939（昭和14）年	セルメニヨ神父、メキシコ青年聖母会の寄付で光琳寺跡の土地購入。
1947（昭和22）年	日本国憲法が施行され、信教の自由が保障される。
1952（昭和27）年	5月11日、第1回乙女峠まつりを開催。 （永井隆博士の遺児、誠一、茅乃参列）
1953（昭和28）年	「受難の池」の発掘再現。
1968（昭和43）年	「乙女峠の聖母とその証し人」（中田秀和作）建立。
2013（平成25）年	前田万葉司教、乙女峠まつりのミサにおいて、「乙女峠の証し人」の列聖運動を正式に始めることを宣言、広島司教区列聖委員会を発足させて活動を開始。
2014（平成26）年	（財）敬愛会、乙女峠の証し人の記念碑の建立工事。
2015（平成27）年	乙女峠の証し人の列聖を目指して、1月12日広島シンポジウム（エリザベト音楽大学）、1月18日乙女峠まつり（5月3日）に向けて、乙女峠の証し人の記念碑のレプリカを、広島司教区内の小教区で巡回。 3月8日長崎シンポジウム（長崎カトリックセンター）
2019（平成31）年	2月5日教皇庁列聖省、広島司教区に津和野・乙女峠の証し人の列聖調査開始の許可（Prot.N.3399-1/18）を付与。
2019（令和元年）年	6月11日「津和野・乙女峠の証し人列聖調査委員会」を正式に設置。

列聖運動へのご支援のお願い

教皇庁列聖省からの列聖調査開始の許可（2019年2月5日）を受けて、カトリック広島司教区は、「津和野・乙女峠の証し人」の列福・列聖に向けた正式な調査を開始しました。津和野での出来事は、絶えることなく人びとを励まし続けてきましたが、津和野・乙女峠の証し人の正式な列聖調査が始まるまでに、150年以上の月日を要したことになります。どうして、それほどの時間がかかったのでしょうか。

信仰の模範である信者に対する記憶と崇敬が時代を超えて生き続けても、すぐさま列聖運動に発展するとはかぎりません。列聖とは、顕彰や栄典以上のもので、教会にとっては極めて重要で霊的な意味をもっています。ある人びとの信仰と生き方が、個人的な信心の対象から教会全体の霊性となり、神の救いの歴史にその名が公に刻まれるのです。それだけに、列聖審査は極めて綿密・慎重に進められ、教皇庁に列聖を申請するために、膨大な資料の収集、吟味、分析、それに基づく歴史分野と神学分野の緻密な調査研究を要します。日本の教会全体の理解はもとより、多くの歴史家と神学者の長年月に及ぶ協力が不可欠ですが、津和野・乙女峠の証し人の列聖の機が熟したのは、やっと最近になってからのことです。

世界に例のない津和野における信仰の証しが、ようやく日本の教会全体に浸透しつつあります。さらに列福・列聖が実現すれば、この素晴らしい証しが全世界の教会の励みと希望になることは間違いありません。一人でも多くの方に、この列聖運動に参加していただけるよう心から願っています。

津和野・乙女峠の証し人を多くの方に広くご理解いただくために、この冊子を制作いたしました。読者の皆さまの中で、「津和野・乙女峠の証し人」の列福・列聖のために有用と思われる資料（関係する書簡類、日記、メモ、写真、書籍など）をお持ちの方は、広島司教区本部事務局までご連絡いただけますと幸いです。

この列福・列聖に向けた運動や調査のために、広島司教区列聖委員会は、「明治初期・津和野の証し人列聖推進協議会」を立ち上げて、加入者（法人会員・個人会員）を募り、祈りや献金（1年に1回）などによる組織的・継続的なご支援をお願いしています。この推進協議会への加入をご希望の方は、広島司教区本部事務局へお問い合わせください。案内の資料をお送りします。

今後とも、皆さまのお祈りとご支援をよろしくお願い申し上げます。

広島司教区本部事務局
〒730-0016
広島市中区幟町 4-42　広島カトリック会館
TEL 082-221-6017

列聖を求める祈り

全能の父である神よ、信頼と希望を込めて祈ります。

あなたは、長崎・浦上から津和野・乙女峠に流配された

和三郎、安太郎、祐次郎、モリちゃんたち三十七人の信徒を

聖霊によって強め、厳しい迫害に耐え、いのちをかけて、

あなたの愛を証しする恵みをお与えになりました。

どうか、この三十七人の同志たちを

一日も早く教会の聖人の列に加えてください。

この同志たちの生き方にならい、わたしたちも

唯一の希望であるあなたに自己をゆだねて生きることができますように。

わたしたちの主イエス・キリストによって。

アーメン。

神の母聖マリアよ、あなたのご保護を祈ります。

どうか津和野・乙女峠の証し人の一日も早い列聖をお祈りください。

光りの道へ

Moderato
深い愛と強い信頼をもって ♪= 120
作詞·作曲 Sr.前田智晶（イエスのカリタス修道女会）
ふるさとをはなれーこの
くらやみのなかにーひか
じゅうじかをあおぎーひた
おかにーたつーみみをすませばーこと
りさしーこむーすくいのめぐみはーすべ
すらいーのるーすくいのめぐみはーかー
りたちのこえかみさまのみてにまもら
てにーおよぶマリアさまのみてにつつま
みかーらくるあなたをはなれてどこへ
れているーからーほほえみながらーい
れているーからーひかりのみちをーあ
いーくのーでしょうーとわのいのちをーよ
きていこうー
るいていこうー
ろこびうたうー